DISCOURS

PRONONCÉ

Par Monsieur l'Abbé LATTY

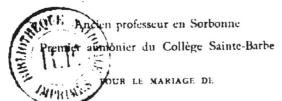

Ancien professeur en Sorbonne

Premier aumônier du Collège Sainte-Barbe

POUR LE MARIAGE DE

Monsieur MAURICE PROU

ET DE

Mademoiselle MARGUERITE POTIER

En l'église Notre-Dame de Lorette

le 16 avril 1888

MACON

IMPRIMERIE PROTAT FRÈRES

1888

In Cruce Margarita.

MADEMOISELLE, MONSIEUR,

EN repassant sur mes souvenirs de Catéchisme, j'ai trouvé le crayon d'une croix enlacée d'une fleur, avec ces mots en devise : « *In Cruce Margarita.* »

Qui sait, Monsieur ? Si, dans vos savantes recherches, vous aviez rencontré cette étrange inscription au bas d'un pareil emblème, peut-être vous seriez-vous égaré, pour l'expliquer, dans les

hypothèses les plus diverses, les unes ingénieuses, les autres plausibles, sans mettre la main sur la vraie leçon; et ce que votre cœur vient de vous dire incontinent, votre esprit l'eût demandé sans fruit à vos habiles procédés d'investigation.

C'était un jour de fête, vous en souvient-il, Mademoiselle? L'élite des Catéchismes de Notre-Dame de Lorette était réunie dans un sanctuaire aimé, vraie famille où l'on respirait à plein cœur la joie des enfants de Dieu. Ce jour-là, semblait-il, la joie était plus douce et le sanctuaire plus lumineux. La grande et divine figure du Christ nous apparut dans une esquisse achevée, dont les traits

harmonieusement fondus nous dirent tour à tour son origine, ses vertus, ses douleurs, tout l'œuvre incomparable de sa doctrine et du salut du monde. C'était merveille d'entendre ces « filles de Sion » redire l'une après l'autre les sublimes enseignements du Maître adoré ; et en vérité, toute philosophie n'aurait pu que pâlir et se taire devant cette conclusion tombant sur leurs âmes émues, comme un écho de leurs pures et fermes croyances :

« Ni la beauté en son plus grand éclat, ni l'amitié en ses doux épanchements, ni le pouvoir en son plus haut prestige, ni la science en ses plus superbes triomphes, ni le bonheur en sa plus

légitime ivresse, non, rien de tout cela n'est sûr, rien n'est durable, rien ne peut remplir le cœur et ses longs désirs, si l'on n'y mêle l'idée de Dieu et l'impérissable vertu de sa Croix. Quand tout, hélas ! peut nous trahir, la Croix nous reste, et c'est par elle que notre âme, inébranlable au bien comme à l'espérance, apprend à entrer dans les puissances éternelles de Dieu. »

Vous étiez de celles qui prirent part à la fête, Mademoiselle : à quel titre, vous le savez ; et, pour ne pas en laisser périr l'impression salutaire, votre main sut tracer, non sans art, le gracieux symbole dont j'évoquais l'image il y a un instant.

Votre nom, les fleurs de votre jeunesse,

les dons d'une éducation parfaite, vous
rameniez tout à ce signe sacré de notre
libération et de notre immortalité. Où
pouviez-vous plus solidement rattacher
l'ordre de vos idées, de vos sentiments,
de toute votre vie?

Aussi bien, n'avais-je rien de mieux à
faire aujourd'hui que de remettre sous
vos yeux, avec un souvenir si charmant,
la belle conclusion dont vous sûtes la
marquer. L'ère des grands devoirs s'ouvre
pour vous; et vous y entrez en donnant
la main à un époux dont vous avez su
apprécier l'esprit distingué, la volonté
droite et le cœur délicat. Quelle sécurité
pour tous deux, et aussi quel charme de
marcher dans la même voie, en unissant

dans une étroite solidarité les dons de vos âmes, leurs croyances, leurs destinées ! Ce que vous aurez à traverser de vicissitudes diverses, de jours sereins ou troublés, Dieu seul le sait : mais qu'importe ! si Dieu reste le lien de vos cœurs et la lumière de vos pas. Vous porterez vaillamment le poids de la vie, parce que tout vous sera commun ; et c'est avec un égal profit que vous grandirez ensemble dans l'honneur de la vérité et la pratique du bien.

En parlant tout à l'heure des triomphes de la science, je pensais à vous, Monsieur, et à vos efforts déjà longs, et aux couronnes qui plus d'une fois les ont récompensés.

Ne puis-je le dire à la face des autels, devant Celui qui s'est appelé le « Maître des sciences » ? La vie des esprits a des secrets et des joies d'un ordre supérieur et qui ne sont connus que d'un petit nombre : « leur empire, leur éclat, leur grandeur, leurs victoires, leur lustre[1] », oui, cela émeut et élève l'âme qui le voit ; et lorsqu'un homme se trouve qui joint un grand travail à des facultés puissantes, qui s'attache et s'acharne en quelque sorte à une formule, à une expérience, à un monument de la pensée humaine, qui consume là ses forces, ses loisirs, avec tous les charmes de la vie, et qui un jour tombe épuisé en donnant à ses

1. Pascal.

semblables un peu plus de lumière et un peu plus de bien; oh! c'est là un beau spectacle! Cet homme nous paraît grand sans cesser d'être près de nous; son sort nous attendrit, et son œuvre, où nous voyons ses âpres labeurs mêlés aux dons divins, nous donne, avec le frisson de la destinée, le sentiment d'une admiration aussi profonde que sympathique.

Mais est-ce là tout l'homme? Et lui suffira-t-il de faire quelque bruit en ce monde pour attraper l'immortalité au delà? S'il a trouvé à la pensée de nouvelles formes, à la science de nouveaux calculs, à l'industrie de nouvelles machines, ce n'est pas seulement cela qui l'aura justifié devant Dieu; et qu'est-ce

même que tout cela, s'il a souillé son âme
de quelque iniquité? Ses machines, ses
calculs, toutes ses découvertes, il les aura
laissés dans le temps, sur un point quel-
conque de l'espace; ce qui est entré dans
l'éternité, c'est son âme, et avec son
âme les actes par lesquels il aura su
abattre son orgueil, maîtriser ses pas-
sions, augmenter sa grandeur et sa bonté
morales devant Dieu. Son travail, ses
efforts, ses peines, ne sont point sans
rapports avec sa fin suprême et trans-
cendante, non certes, mais ce ne sont là
que des moyens dans une destinée
d'homme; et si l'homme ne s'en sert
pour devenir meilleur, s'il n'a une visée
plus haute qu'un éclat fugitif et un objet

plus solide, plus durable qu'une satis-
faction d'un jour ou une renommée sur
terre; s'il n'affranchit son âme en la
transformant dans la pleine lumière du
Christianisme, la science elle-même n'est
pour lui qu'un leurre plus amer parmi
tant d'autres amères illusions. Ainsi pen-
sait le grand apôtre, lorsqu'il écrivait aux
peuples de la Grèce : « Les prophéties
s'anéantiront, les langues cesseront, la
science sera abolie; ce qui ne finira
point, c'est cet amour souverain, infini,
qui met Dieu tout en tous : la charité[1] ! »

La divine charité !... Expression la
plus haute de tout ce que le Christianisme a de grand, de suave et de vrai;

1. I, Cor., XIII.

ordre d'idées, de sentiments et de
mœurs, « où Jésus-Christ règne dans
une grande pompe et dans une prodi-
gieuse magnificence[1] ». Tel est donc le
principe supérieur à tous les autres, où
vos deux âmes s'éclaireront et vivront
ensemble; tel le lien indissoluble qui
unira vos cœurs et vos destinées.

Sage, douce, dévouée, comme ces
chrétiennes dont on disait : « Quelles
femmes! » vous donnerez à votre époux
le bonheur de relire l'Evangile dans votre
vie; il vous comprendra, Mademoiselle.
Et vous, Monsieur, lorsque vous aurez
dit à votre épouse vos labeurs du jour,
dont elle saura partager les joies et les

1. Pascal.

peines, vous prendrez aussi votre part
aux actes d'une foi qui est la vôtre, en
priant au pied de l'image où elle attache
son nom : « *In Cruce Margarita.* »

Pourquoi ne le rappellerais-je pas en
finissant ? vous étiez vêtue de deuil,
Mademoiselle, lorsque, tout enfant, vous
me fûtes amenée pour la première fois.
Votre sœur bien-aimée était avec vous,
et votre pieuse mère qu'accompagnait
une autre elle-même, n'avait pas encore
repris haleine du coup qui l'avait si
cruellement frappée. — « Je vous confie
leurs âmes », me dit-elle. Vous étiez
toute sa consolation, vous le savez, et
vos âmes, pour elle, c'était tout.

Sublime sollicitude d'une mère vrai-
ment digne de ce nom !

Comment la religion tenait le premier rang dans vos traditions de famille et s'y était mêlée, parmi de longues et nombreuses générations, à des habitudes inviolables de respect, d'honneur et de bonté, je ne tardais pas de l'apprendre, en effet; c'était là un héritage sacré; on voulait vous préparer à le recevoir un jour dans vos mains et à l'accroître encore de vos vertus.

Or, je sais que le vôtre, Monsieur, n'est pas moins précieux, et je n'hésite pas à vous dire, à l'un comme à l'autre, que vous devez être heureux et fiers de la part qui vous échoit. Dieu vous le permet, puisqu'il y a mis ses dons, et il importe au bien de la société comme à

celui de la race que les familles aient le
sentiment de leur valeur morale et de
leur réelle dignité. Non, ce n'est pas
vous qui trahirez jamais ce trésor commun où la vie de vos pères se perpétue
non moins que dans votre sang. J'en
prends à témoin, avec l'autel qui va
recevoir vos serments, cette nombreuse
audience où tous les cœurs sont à l'unis-
son des vôtres, et je demande au vénérable
ami [1] qui va offrir pour vous l'auguste
Sacrifice, d'unir nos vœux à ses vœux,
nos prières à ses prières, afin que Dieu
marque la foi et les sentiments de vos
âmes au sceau même de son éternité.

1. M. l'abbé Espagnolle.

20

Imprimé en France
FROC031416120919
22116FR00017B/538/P

9 782329 309651